ひとはなぜ苦しむのでしょう……
ほんとうは
野の花のように
わたしたちも生きられるのです
もし　あなたが
目も見えず
耳も聞こえず
味わうこともできず
触覚もなかったら
あなたは　自分の存在を
どのように感じるでしょうか
これが「空《くう》」の感覚です

すべてを知り
覚った方に謹んで申し上げます
聖なる観音は求道者として
真理に対する正しい智慧の完成をめざしていたときに
宇宙に存在するものには
五つの要素があることに気づきました

お聞きなさい
これらの構成要素は
実体をもたないのです

※脚注＝著者の心訳に意味的に対応する般若心経の原文

観自在菩薩
行深般若波羅蜜多時
照見五蘊皆空
舎利子
色不異空

形のあるものは形がなく
形のないものは形があるのです
感覚、表象、意志、知識も
すべて実体がないのです

お聞きなさい
彼はこれらの要素が「空」であって
生じることもなく
無くなることもなく
汚れることもなくきれいになることもないと知ったのです

空不異色
受想行識
亦復如是
舎利子
是諸法空相
不生不滅
不垢不浄

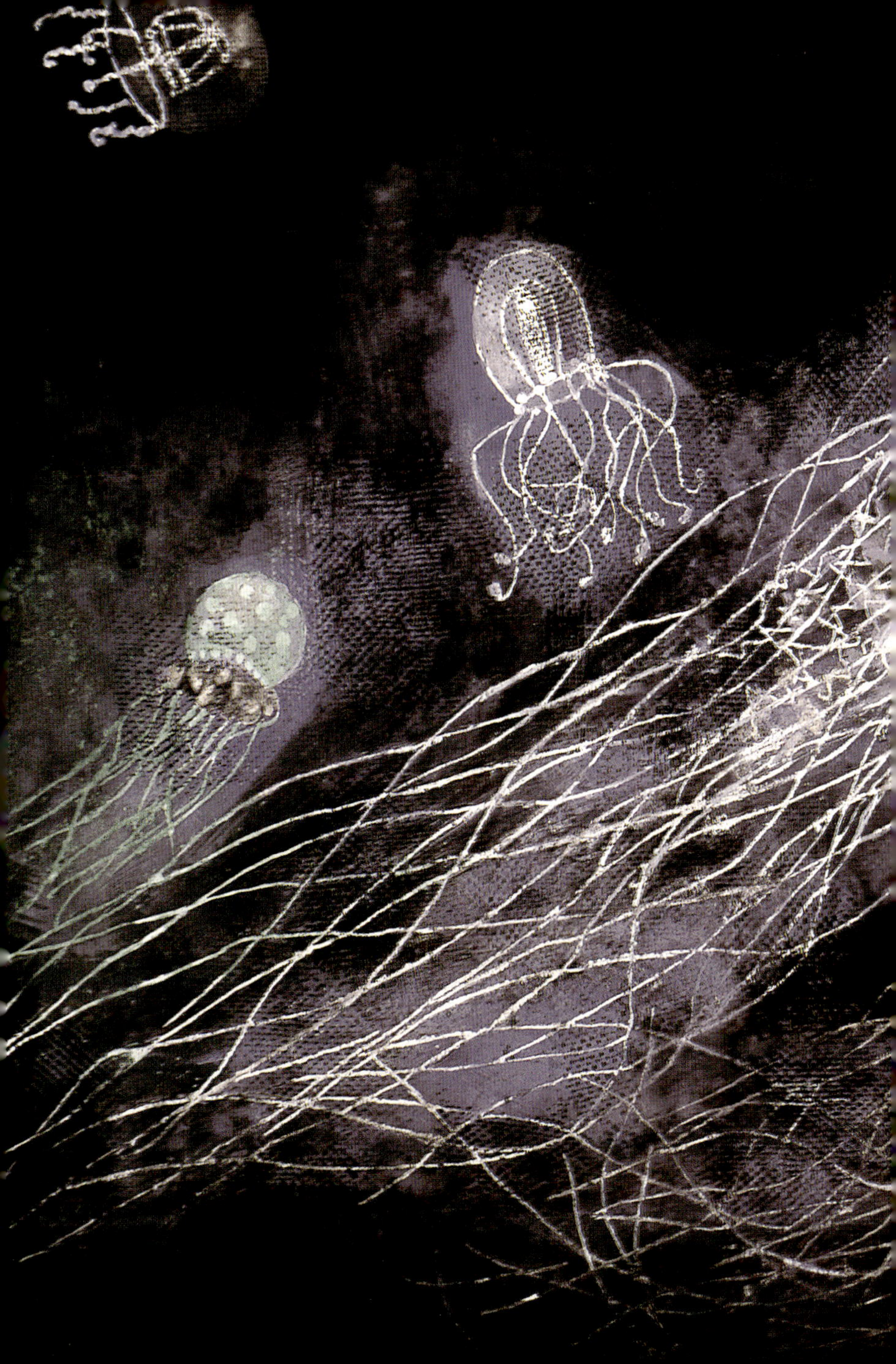

お聞きなさい
私たちは　広大な宇宙のなかに
存在します
宇宙では
形という固定したものはありません
実体がないのです
宇宙は粒子に満ちています
粒子は自由に動き回って　形を変えて
おたがいの関係の
安定したところで静止します

舎利子

お聞きなさい
形のあるもの
いいかえれば物質的存在を
私たちは現象としてとらえているのですが
現象というものは
時々刻々変化するものであって
変化しない実体というものはありません
実体がないからこそ　形をつくれるのです
実体がなくて　変化するからこそ
物質であることができるのです

色即是空
空即是色

お聞きなさい
あなたも　宇宙のなかで
粒子でできています
宇宙のなかの
ほかの粒子と一つづきです
ですから宇宙も「空」です
あなたという実体はないのです
あなたと宇宙は一つです

是諸法空相

宇宙は一つづきですから
生じたということもなく
なくなるということもありません
きれいだとか　汚いだとかいうこともありません
増すこともなく　減ることもありません
「空」にはそのような
取るに足りないことはないのです

不生不滅
不垢不浄
不増不減

お聞きなさい　だから
「空」という状態には
形もなく　感覚もなく　意志もなく　知識もありません
眼もなく　耳もなく　鼻もなく
舌もなく　身体もなく　心もなく
形もなく　声もなく　香りもなく
あなたをさわるものもなく
心の対象もありません

是故空中
無受想行識
無眼耳鼻舌身意
無色声香味触法

実体がないのですから
「空」には
物質的存在も　感覚も
感じた概念を構成する働きも
意志も　知識もありません

眼の領域から意識の領域に至るまで
すべてないのです

無眼界
無色
乃至無意識界
無受想行識

真理に対する正しい智慧がないということもなく
それが尽きるということもありません
迷いもなく　迷いがなくなるということもありません
それは「空」の心をもつ人は
迷いがあっても
迷いがないときとおなじ心でいられるからです

無無明
亦無無明尽

こうしてついに　老いもなく　死もなく
老いと死がなくなるということもないという心に至るのです
老いと死が実際にあっても
それを恐れることがないのです

苦しみも　苦しみの原因も
苦しみをおさえることも　苦しみをおさえる方法もない
知ることもなく 得るところもない

乃至無老死
亦無老死尽

無苦集滅道

無智亦無得

得るということがないから
永遠なるものを求めて永遠に努力し
心を覆われることなく生きていけます
心を覆うものがないから
恐れがなく　道理をまちがえるということがないから
永遠の平和に入っていけるのです

以無所得故
菩提薩埵
依般若波羅蜜多故
心無罣礙　無罣礙故
無有恐怖
遠離一切顛倒夢想
究竟涅槃

私たちが　あらゆるものを
「空」とするために　削り取り
削り取ったことさえも削り取るとき
私たちは深い理性をもち
「空」なる智慧を身につけたものになれるのです

真理を求める人は
まちがった考えや無理な要求をもちません
無常のなかで暮らしながら　楽園を発見し
永遠のいのちに目覚めているのです
永遠のいのちに目覚めた人は
苦のなかにいて　苦のままで
幸せに生きることができるのです

深い理性の智慧のおかげで
無常のほとけのこころ　ほとけのいのちは
すべての人の胸に宿っていることを悟ることができました

このように　過去・現在・未来の三世の人々と
三世のほとけとは永遠に存在しつづけます
深い理性の智慧もまた
永遠にわたって存在するということです

三世諸仏
依般若波羅蜜多故
得阿耨多羅三藐三菩提

それゆえに　ほとけの智慧は
大いなるまことの言葉です　いっさいの智慧です
これ以上のまことの言葉はありません
いっさいの苦を取りのぞく
真実で偽りのない言葉です
その真実の言葉は
智慧の世界の完成において次のように説かれました

故知般若波羅蜜多
能除一切苦
真実不虚
故説般若波羅蜜多呪
即説呪曰

行くものよ　行くものよ
彼岸に行くものよ
さとりよ　幸あれ

これで
智慧の完成の言葉は
終わりました

羯諦　羯諦
波羅羯諦
波羅僧羯諦
菩提薩婆訶
般若心経

観《かん》自《じ》在《ざい》菩《ぼ》薩《さつ》　行《ぎょう》深《じん》般《はん》若《にゃ》波《は》羅《ら》蜜《みっ》多《た》時《じ》　照《しょう》見《けん》五《ご》蘊《うん》皆《かい》空《くう》

度《ど》一《いっ》切《さい》苦《く》厄《やく》　舎《しゃ》利《り》子《し》　色《しき》不《ふ》異《い》空《くう》　空《くう》不《ふ》異《い》色《しき》　色《しき》即《そく》是《ぜ》空《くう》

空《くう》即《そく》是《ぜ》色《しき》　受《じゅ》想《そう》行《ぎょう》識《しき》亦《やく》復《ぶ》如《にょ》是《ぜ》　舎《しゃ》利《り》子《し》　是《ぜ》諸《しょ》法《ほう》空《くう》相《そう》

不《ふ》生《しょう》不《ふ》滅《めつ》　不《ふ》垢《く》不《ふ》浄《じょう》　不《ふ》増《ぞう》不《ふ》減《げん》　是《ぜ》故《こ》空《くう》中《ちゅう》

無《む》色《しき》　無《む》受《じゅ》想《そう》行《ぎょう》識《しき》　無《む》眼《げん》耳《に》鼻《び》舌《ぜっ》身《しん》意《い》　無《む》色《しき》声《しょう》香《こう》味《み》触《そく》法《ほう》

無《む》眼《げん》界《かい》　乃《ない》至《し》無《む》意《い》識《しき》界《かい》　無《む》無《む》明《みょう》　亦《やく》無《む》無《む》明《みょう》尽《じん》

乃《ない》至《し》無《む》老《ろう》死《し》　亦《やく》無《む》老《ろう》死《し》尽《じん》　無《む》苦《く》集《しゅう》滅《めつ》道《どう》　無《む》智《ち》亦《やく》無《む》得《とく》

以《い》無《む》所《しょ》得《とく》故《こ}　菩《ぼ》提《だい》薩《さつ》埵《た》　依《え》般《はん》若《にゃ》波《は》羅《ら》蜜《みっ》多《た》故《こ》

心《しん》無《む》罣《けい》礙《げ》　無《む》罣《けい》礙《げ》故《こ》　無《む》有《う》恐《く》怖《ふ》　遠《おん》離《り》一《いっ》切《さい》顚《てん》倒《どう》夢《む》想《そう》

究《く》竟《きょう》涅《ね》槃《はん》　三《さん》世《ぜ》諸《しょ》仏《ぶつ》　依《え》般《はん》若《にゃ》波《は》羅《ら》蜜《みっ》多《た》故《こ》

得《とく》阿《あ》耨《のく》多《た》羅《ら》三《さん》藐《みゃく》三《さん》菩《ぼ》提《だい》　故《こ》知《ち》般《はん》若《にゃ》波《は》羅《ら》蜜《みっ》多《た》　是《ぜ》大《だい》神《じん》呪《しゅ》

是《ぜ》大《だい》明《みょう》呪《しゅ》　是《ぜ》無《む》上《じょう》呪《しゅ》　是《ぜ》無《む》等《とう》等《どう》呪《しゅ》　能《のう》除《じょ》一《いっ》切《さい》苦《く》　真《しん》実《じつ》不《ふ》虚《こ》

故《こ》説《せつ》般《はん》若《にゃ》波《は》羅《ら》蜜《みっ》多《た》呪《しゅ》　即《そく》説《せつ》呪《しゅ》曰《わつ》　羯《ぎゃ》諦《てい》　羯《ぎゃ》諦《てい》　波《は》羅《ら》羯《ぎゃ》諦《てい》

波《は》羅《ら》僧《そう》羯《ぎゃ》諦《てい》　菩《ぼ》提《じ》薩《そ》婆《わ》訶《か》　般《はん》若《にゃ》心《しん》経《ぎょう》

観《かん》自《じ》在《ざい》菩《ぼ》薩《さつ》

観自在菩薩が

観自在菩薩＝観世音菩薩、観音さま

Kanjizai Bosatsu,
who freely perceives all things,

行《ぎょう》深《じん》般《はん》若《にゃ》波《は》羅《ら》蜜《みっ》多《た》時《じ》

般若波羅蜜多を深く行じしとき

般若波羅蜜多は彼岸に至る智慧。行は実践すること

practicing the perfect wisdom,

照《しょう》見《けん》五《ご》蘊《うん》皆《かい》空《くう》

五蘊みな空なりと照見し

五蘊は色・受・想・行・識。この世に存在するものや肉体・精神の構成要素

cast the light of perception on the five
elements that compose all worlds
and saw that they are all emptiness,

度《ど》一《いっ》切《さい》苦《く》厄《やく》

一切の苦厄を度したまう

度は渡すこと。苦しみと禍いの岸から解き放つ

and thus overcame all afflictions
and disasters,and spoke:

舎《しゃ》利《り》子《し》

舎利子

シャーリプトラよ！　仏陀十大弟子の一人への観自在菩薩の呼びかけ

O Sharishi,

色《しき》不《ふ》異《い》空《くう》

色は空に異ならず、

形あるもの、この世の森羅万象は、なにもないことと異ならない

form is none other than emptiness,

空《くう》不《ふ》異《い》色《しき》

空は色に異ならず

なにもないからこそ、形あること・物質的現象も起こりうる

emptiness is none other than form.

色《しき》即《そく》是《ぜ》空《くう》

色は即ちこれ空なり

一切の形あるものが、そのままでありながら、なにもない

Form—it is, in fact, emptiness.

空《くう》即《そく》是《ぜ》色《しき》

空は即ちこれ色なり

なにもないことが、そのまま、形あるものを現出している

Emptiness—it is,in fact,form.

受《じゅ》想行《そうぎょう》識《しき》

受想行識も

受＝感受作用、想＝表象作用、行＝意志作用、識＝認識作用

To sense, to imagine, to will, to conceive—

亦《やく》復《ぶ》如《にょ》是《ぜ》

またかくのごとし

色と同じく、実体がない

they too are all like this.

舎《しゃ》利《り》子《し》

舎利子

シャーリプトラよ！

Thus,Sharishi,

是《ぜ》諸《しょ》法《ほう》空《くう》相《そう》

この諸法は空相にして
すべてのものは空のありようを免れない

all these are,
in character,emptiness.

不《ふ》生《しょう》不《ふ》滅《めつ》

生じず滅せず
生じることなく、なくなることもなく

They are not mere things
that appear or disappear.

不《ふ》垢《く》不《ふ》浄《じょう》

けがれず浄からず
汚れているのでもなく、
きれいということもなく

Nor are they things
impure or pure.

不《ふ》増《ぞう》不《ふ》減《げん》

増ぜず減ぜず
増えるということもなく、
減るということもない

Nor do they merely
increase or decrease.

是《ぜ》故《こ》空中《くうちゅう》

このゆえに空中には
空中＝実体がないという立場においては

And so, within that emptiness,

無《む》色《しき》無《む》受《じゅ》想《そう》行《ぎょう》識《しき》

色もなく、受・想・行・識もなく
色＝身体や形あるもの。受・想・行・識＝
感覚・知覚・表象・認識などの心というもの

there is no form, there is no sensing,
no imagining, no willing,
no conceiving.

無《む》眼《げん》耳《に》鼻《び》舌《ぜつ》身《しん》意《い》

眼・耳・鼻・舌・身・意もなく
あわせて六根＝知覚・認識の根本。
空の立場では六根もない

There are no eyes,
no ears, no nose, no tongue,
no body, no mind.

無《む》色《しき》声《しょう》香《こう》味《み》触《そく》法《ほう》

色・声・香・味・触・法もなく
六境＝それぞれ六根に対応した知覚・認識

There are no sights,
no sounds, no smells, no tastes,
no objects felt, no realms conceived.

無《む》眼《げん》界《かい》乃《ない》至《し》無《む》意《い》識《しき》界《かい》

眼界もなく、ないし意識界もなく
眼に見えるもので成り立つ世界もなく、
また意識に構成されているような世界もない

There are no worlds,
from "there is no world of eyes" to
"there is no world conceived by mind."

無《む》無《む》明《みょう》亦《やく》無《む》無《む》明《みょう》尽《じん》

無明もなく、また無明の尽くることもなく
無明＝無智。無明もなく、
無明がなくなるということもない

There are no twelve causes of pain,
from "there is no ignorance,
and there is no extinction of ignorance"

乃《ない》至《し》無《む》老《ろう》死《し》

また老死もなく
仏教の根本教義とされる十二因縁では
最初に無明、最後に老死が挙げられている

to "there is no decay and death,

亦《やく》無《む》老《ろう》死《し》尽《じん》

老死が尽くることもなく
また老死がなくなるということもない

and there is no extinction
of decay and death."

無《む》苦《く》集《しゅう》滅《めつ》道《どう》

苦集滅道もなし

苦集滅道＝四諦。人生の苦しみとその原因、煩悩を滅ぼすことやその実践方法

There are no four truths—
of pain, of desire that is the origin of pain,
of the obliteration of that desire,
of the path to that obliteration.

無《む》智《ち》亦《やく》無《む》得《とく》

智もなく、また得もなし

悟りを得る智慧というものもなく、悟りもない

There is no enlightenment,
and there is no attaining of enlightenment,

以《い》無《む》所《しょ》得《とく》故《こ》

得るところなきをもってのゆえに

得るべきことは何もないのであるから

because there is no attaining of
enlightenment.

菩《ぼ》提《だい》薩《さつ》埵《た》

菩提薩埵は

菩提薩埵＝菩薩。悟りを求めて修行する者

依《え》般《はん》若《にゃ》波《は》羅《ら》蜜《みっ》多《た》故《こ》

般若波羅蜜多に依るがゆえに

彼岸に至る智慧によって

Because one who quests for
enlightenment,relies
on the Perfect Wisdom,

心《しん》無《む》罣《けい》礙《げ》

心に罣礙なし

罣礙＝こだわり、わだかまり

his heart is free from obstacles.

無《む》罣《けい》礙《げ》故《こ》

罣礙なきがゆえに

Because he is free from obstacles,

無《む》有《う》恐《く》怖《ふ》

恐怖あることなし

何も恐れることがない

he has no fear.

遠《おん》離《り》一《いっ》切《さい》顛《てん》到《どう》夢《む》想《そう》

一切の顛到夢想を遠離して

あらゆる本末転倒している妄想を遠ざけて

Released from all inverted thought and dreamlike delusion,

究《く》竟《きょう》涅《ね》槃《はん》

涅槃を究竟する

絶対的な心の安らぎの境地をきわめつくすことができる

he enters into the ultimate Nirvana.

三《さん》世《ぜ》諸《しょ》仏《ぶつ》

三世諸仏

三世は過去、現在、未来

All Buddhas, all awakened beings of past, present and future,

依《え》般《はん》若《にゃ》波《は》羅《ら》蜜《みっ》多《た》故《こ》

般若波羅蜜多に依るがゆえに

意味は前出同文と同じ

relying on the Perfect Wisdom,

得《とく》阿耨多羅《あのくたら》三藐三《さんみゃくさん》菩提《ぼだい》

阿耨多羅三藐三菩提を得たもう

阿耨多羅三藐三菩提＝この上ない正しい悟り

attain the supremely correct,
universal wisdom,

故《こ》知《ち》般若《はんにゃ》波羅蜜多《はらみった》

ゆえに知るべし、
般若波羅蜜多は

and thus realize
that the Perfect Wisdom

是《ぜ》大神《だいじん》呪《しゅ》

これ大神呪なり

大神呪＝偉大にして神聖なる真言

is the great mantra,
the great mantra of enlightenment,

是《ぜ》大明呪《だいみょうしゅ》

これ大明呪なり

大明呪＝偉大にして智慧ある真言

是《ぜ》無上呪《むじょうしゅ》

これ無上呪なり

無上呪＝この上ない真言

is the peerless mantra,

是《ぜ》無《む》等《とう》等《どう》呪《しゅ》

これ無等等呪なり

無等等呪＝比べるもののない最上の真言

the mantra beyond compare.

能《のう》除《じょ》一《いっ》切《さい》苦《く》

一切の苦をよく除き

It can relieve all suffering.

真《しん》実《じつ》不《ふ》虚《こ》

真実にして虚ならず

It is true,
it is not mistaken.

故《こ》説《せつ》般《はん》若《にゃ》波《は》羅《ら》蜜《みっ》多《た》呪《しゅ》

ゆえに般若波羅蜜多の
呪を説かん

And so he chants the mantra of
Perfect Wisdom.

即《そく》説《せつ》呪《しゅ》曰《わつ》

すなわち呪を説いて曰く
すなわち、その真言とは次の通り

Thus does he chant:

羯諦《ぎゃてい》 羯諦《ぎゃてい》 波《は》羅《ら》羯諦《ぎゃてい》
波《は》羅《ら》僧《そう》羯諦《ぎゃてい》
菩《ぼ》提《じ》薩《そ》婆《わ》訶《か》 般《はん》若《にゃ》心《しん》経《ぎょう》

ぎゃてい　ぎゃてい　はらぎゃてい
はらそうぎゃてい　ぼじそわか
行く者よ　行く者よ　彼岸に行く者よ
彼岸に完全に行く者よ　悟りよ、幸いあれ

GYATEI GYATEI HARAGYATEI
HARASOGYATEI
BOJISOWAKA HANNYA SHINGYO

あとがき　　柳澤桂子

私は現在六六歳です。一九六九年から病気をしていますから、三六年も病んだことになります。激しい嘔吐と腹痛、頭痛、めまい、傾眠と非常に苦しい症状が一週間もつづき、次の一週間は寝たり起きたり、第三週目でやっともとに戻れるのですが、この周期が一ヶ月に一度ずつ巡ってくるのです。ということは、月に二週間しか起きられないということです。病気の原因がわからないので、どの医師にかかっても心因性のものと診断されました。家族にもそのように説明されました。勤務先に出す書類にもそう書かれました。けれども、嘔吐発作は正確に一ヶ月に一度なのです。それも排卵期に決まっていました。そのように医師に告げても、ますます気のせいにされるばかりでした。

心因性といっても、何か証拠があるわけではなく、私の気のせいや気のもち方が悪いといわれるのです。家族からも責められましたが、私は自分自身を責めました。病の苦しみの上に医師から精神的な苦しみまで背負い込まされました。

この三六年間私は苦しみました。孤独でした。人間であることの悲しみを存分に味わいました。科学の限界を知らされました。病は悪くなる一方でした。

ところが一九九九年に金沢大学の佐藤保先生が、ご自分の研究されている病気と非常によく似ているとい

う お手紙をくださり、「周期性嘔吐症候群」という脳幹の病気だと教えてくださいました。この病気には、抗うつ剤が効くことがわかっていましたので、私は嘔吐や腹痛から解放されたのです。

その後、狭心症がひどくなり、歩くことができませんので家の中を電動車椅子で移動しております。私の半生は苦しみの半生でした。そこへ、平塚共済病院、脳外科の篠永正道先生が私の脳脊髄液が漏れていることをMRIで見つけてくださいました。いろいろな神経症状が出ていたのはそのためだったのです。

私は生命科学の研究者で、ハツカネズミを使って研究していました。私の研究テーマは、なぜ一ミリにもみたない卵からネズミの形ができるかということでした。研究は軌道に乗っていました。国際的に活動できました。その大切な研究も、私は断念しなければならなかったのです。自分の子供を奪われる悲しさでした。


さて、「般若心経」について、どうしてこのような現代語訳が出てくるかといいますと、私は次のように考えました。これは私の解釈であって、絶対に正しいというものではありません。みなさんにはみなさんの解釈があるのだと思います。

私は、釈迦という人は、ものすごい天才で、真理を見抜いたと思っています。ほかの宗教もおなじですが、偉大な宗教というものは、ものを一元的に見るということを述べているのです。「般若心経」もおなじです。

私たちは生まれ落ちるとすぐ、母親の乳首を探します。お母さんのお腹の上に乗せてやるとずれ上がってきて、ちゃんと乳首に到達します。また、生まれたときに最初に世話をしてくれた人になつきます。その人が見えなかったり、声が聞こえないと泣きわめきます。このように、生まれ落ちた時点ですでに、ものを自己と他者というふうに振る舞います。これは本能として脳の中に記憶されていることで、赤ちゃんが考えてやっていることではありません。

けれどもこの傾向はどんどん強くなり、私たちは、自己と他者、自分と他のものという二元的な考え方に深入りしていきます。元来、自分と対象物という見方をするところに執着が生まれ、欲の原因になります。自分のまわりにはいろいろな物があり、いろいろな人がいます。

ところが一元的に見たらどうでしょう。二元的なものの見方になれてしまった人には、一元的にものを見ることはたいへんむずかしいのです。でも私たちは、科学の進歩のおかげで、物事の本質をお釈迦さまより少しはよく教え込まれています。

私たちは原子からできています。原子は動き回っているために、この物質の世界が成り立っているのです。この宇宙を原子のレベルで見てみましょう。私のいるところは少し原子の密度が高いかも知れません。あなたのいるところも高いでしょう。戸棚のところも原子が密に存在するでしょう。これが宇宙を一元的に見たときの景色です。一面の原子の飛び交っている空間の中に、ところどころ原子が密に存在するところがあるだけです。

あなたもありません。私もありません。けれどもそれはそこに存在するのです。物も原子の濃淡でしかありませんから、それにとらわれることもありません。一元的な世界こそが真理で、私たちは錯覚を起こしているのです。

このように宇宙の真実に目覚めた人は、物事に執着するということがなくなり、何事も淡々と受け容れることができるようになります。

これがお釈迦さまの悟られたことであると私は思います。もちろん、お釈迦さまが原子を考えておられたとは思いませんが、ものごとの本質を見抜いておられたと思います。現代科学に照らしても、釈尊がいかに真実を見通していたかということは、驚くべきことであると思います。

画題　Titles&Specifications of Fumiko Hori Works

カバー　地吹雪　2001年　40.9×31.8
Blizzard,　2001,　40.9×31.8

見返し　春を待つ鳥　2001年　45.0×53.0
Birds Waiting for Spring,　2001,　45.0×53.0

扉　ヒマラヤの青き罌粟　2001年　45.5×37.9
Blue Poppy in the Himarayas,　2001,　45.5×37.9

4−5　くらげⅠ　2003年　33.3×45.5
Jellyfish I,　2003,　33.3×45.5

8−9　春炎　1970年　128.0×192.0
The Brief Flowers of Spring,　1970,　128.0×192.0

12−13　ヒマラヤの夕映え（マチャプチャレ）　1998年　65.2×100.0
Sunset in the Himarayas—Machhapuchhare,　1998,　65.2×100.0

16−17　チアパスの夜　1966年　112.1×193.9
Night in Ciapas,　1966,　112.1×193.9

20−21　霧氷　1982年　156.0×229.0
Trees in Frost,　1982,　156.0×229.0

24−25　魔王の館　1964年　121.5×198.0
Lucifer Palace,　1964,　121.5×198.0

28−29　麦畑に芥子が咲く　1990年　65.5×91.5
1990,　65.5×91.5

31　チェチリアーノ凍る花野　1990年　72.8×91.0
Ceciliano Frozen Meadow,　1990,　72.8×91.0

本書では、上記の原画を作者の指導の下で加工した画像を掲載しています。

文／柳澤桂子プロフィール

やなぎさわ　けいこ。当代日本を代表する生命科学者にして歌人。

……やわらかき冬の光が身にしみて生きよ生きよとわれを温む（柳澤桂子歌集より）

１９３８年東京生まれ。60年お茶の水女子大卒。63年コロンビア大学大学院博士課程修了、Ph.D.を得て帰国、慶應大学医学部分子生物学教室助手に。69年発病・最初の入院。71年三菱化成生命科学研究所副主任研究員となり研究職に復帰。73年理学博士、75年主任研究員。マウスを使った発生学に取り組み、世界に先駆ける成果を残す。77年秋、国際発生学会での講演を終えたとき再発・手術。以後、入院・退院を繰り返し、ついに歩行困難に陥る。将来を嘱望されながら、83年同研究所を退職。今日まで35年以上に及ぶ闘病生活である。〝原因不明の難病〟は、99年ようやく周期性嘔吐症と診断された。抗うつ剤による治療で奇跡的に快方に向かい小康状態を得ているものの、２００４年新たに脳脊髄液減少症と診断され治療を受けている。

86年から、闘病生活のかたわらサイエンスライターとして頭角を現す。93年『卵が私になるまで』（新潮社）で講談社出版文化賞科学出版賞、同年『お母さんが話してくれた生命の歴史』（岩波書店）で産経児童出版文化賞、95年『二重らせんの私』（早川書房）で日本エッセイスト・クラブ賞。99年日本女性科学者の会より功労賞。同年11月放映されたＮＨＫ「ドキュメントにっぽん　いのち再び・生命科学者柳澤桂子」が大反響を呼ぶ。２００２年「ＮＨＫ人間講座シリーズ生命（いのち）の未来図」全編の制作総括と講師をつとめた。03年お茶の水女子大学より名誉博士。

画／堀文子プロフィール

ほり　ふみこ。因習的な画壇に背を向け独自の画業をめざす孤高の生き方や、圧倒的なリアリズムの技量と詩情溢れる画境に惹かれる多くの熱狂的ファンを持つ日本画家。
1918年東京平河町生まれ。36年の二・二六事件では生家の庭を銃剣で武装した決起兵が行軍したという。女性の自立など一顧だにされなかった当時の社会風潮に抗して、真の自由を求めて画家を志す。女子美術専門学校（現在の女子美術大学）在学中の39年、当時新しい日本画運動の拠点だった新美術人協会展で初入選。46年外交官と結婚。52年上村松園賞。60年夫と死別後に3年間余り諸国を放浪し、画家としての方向性を模索する。74〜99年多摩美術大学教授。87年軽佻浮薄の極みに堕したバブル期日本を嫌い、イタリア・トスカーナの古都アレッツォに移住（92年同市で「堀文子日本画展」を開催し、異例の日本画国際進出を試み絶賛を受ける）。95年からアマゾンの熱帯雨林、マヤ・インカの遺跡などへ精力的なスケッチ旅行を敢行。2000年、82歳にして幻の花ブルーポピーを尋ねて、ヒマラヤ5000メートルの高地を踏破（NHKハイビジョン「ヒマラヤ高き峰をもとめて〜日本画家・堀文子〜」として放映）。01年に重い心臓病から奇跡的回復を遂げて以後は生命の根源に関心が集中し、ミジンコなど極微の生命宇宙を精力的に描くようになっている。

英訳／リービ英雄プロフィール

りーび　ひでお。作家、日本文学研究者、法政大学教授。
1950年米国生まれ。幼少期より外交官の父と共に台湾、香港などに住む。16歳で日本に移住。プリンストン大大学院博士課程修了。40歳直前にスタンフォード大の教授職を辞して東京定住。英訳『万葉集』（全米図書賞）、小説『星条旗の聞こえない部屋』（野間文芸新人賞）他、著書多数。エッセイ、文芸時評などでも活躍中。「西洋人初の現代日本文学作家」「日本語を母語としない外国人による初めての本格日本語小説」と評され、いま最も注目される作家の一人。

文／柳澤桂子
画／堀文子
英訳／リービ英雄
装幀&デザイン／高橋善丸
協力／ナカジマアート

生きて死ぬ智慧

二〇〇四年一〇月一〇日　初版第一刷発行
二〇〇五年七月二〇日　第八刷発行

著者　柳澤桂子　堀　文子

発行者　佐藤正治
発行所　株式会社小学館
〒一〇一－八〇〇一　東京都千代田区一ツ橋二－三－一
電話　編集〇三－三二三〇－五七六六
制作〇三－五二八一－三五五五
販売〇三－五二八一－三五五五
振替　〇〇一八〇－一－二〇〇
ウエブサイト　http://www.shogakukan.co.jp
印刷所　図書印刷株式会社
製本所　株式会社若林製本工場

ISBN4-09-387521-9